D1633063

Taid
Mam
Dad
Nain
Mic
Mag
Mog, y babi

Cyflwynir y llyfr yma i
Jack, Felipe, Ella, Millie a Harrie

Cyhoeddwyd gan Rily Publications Ltd 2014
Rily Publications Ltd, Blwch Post 20, Hengoed CF82 7YR

Addasiad gan Gareth F. Williams

ISBN 978-1-84967-173-6

Cyhoeddwyd yn wreiddiol yn Saesneg yn 2014 gan Egmont UK Limited
dan y teitl *The Funny Fingers*

www.rily.co.uk

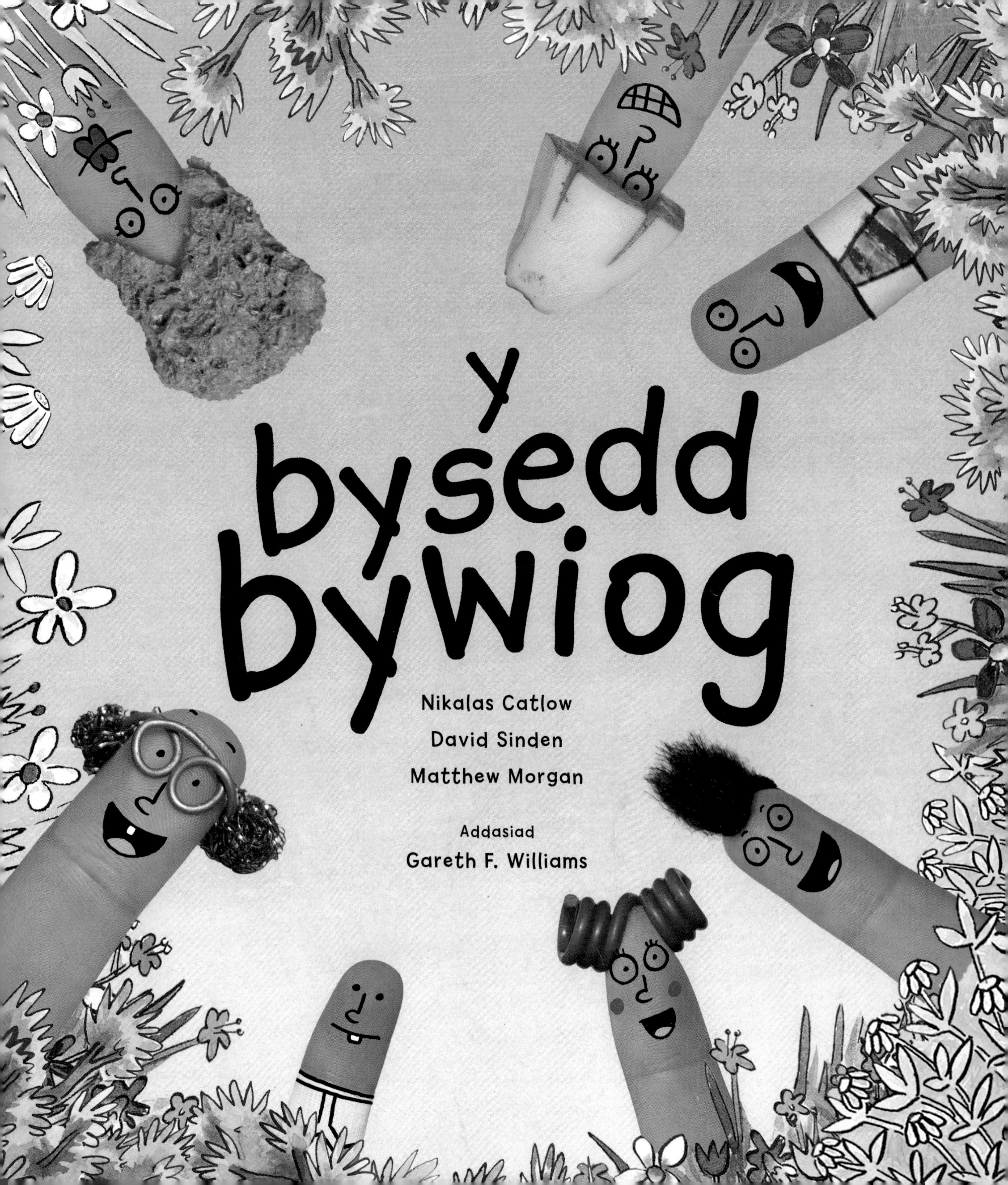

y bysedd bywiog

Nikalas Catlow

David Sinden

Matthew Morgan

Addasiad

Gareth F. Williams

Teulu go ryfedd, ond un hapus iawn oedd y
Bysedd Bywiog. Roedden nhw'n gwirioni ar gael hwyl.

Cafodd Mam a Dad hwyl wrth addurno'r tŷ.

"Ha, ha, beth am lawr glas a melyn?" gofynnodd Mam.

"Hwrê!" atebodd Dad. "Glas fel yr awyr a melyn fel banana!"

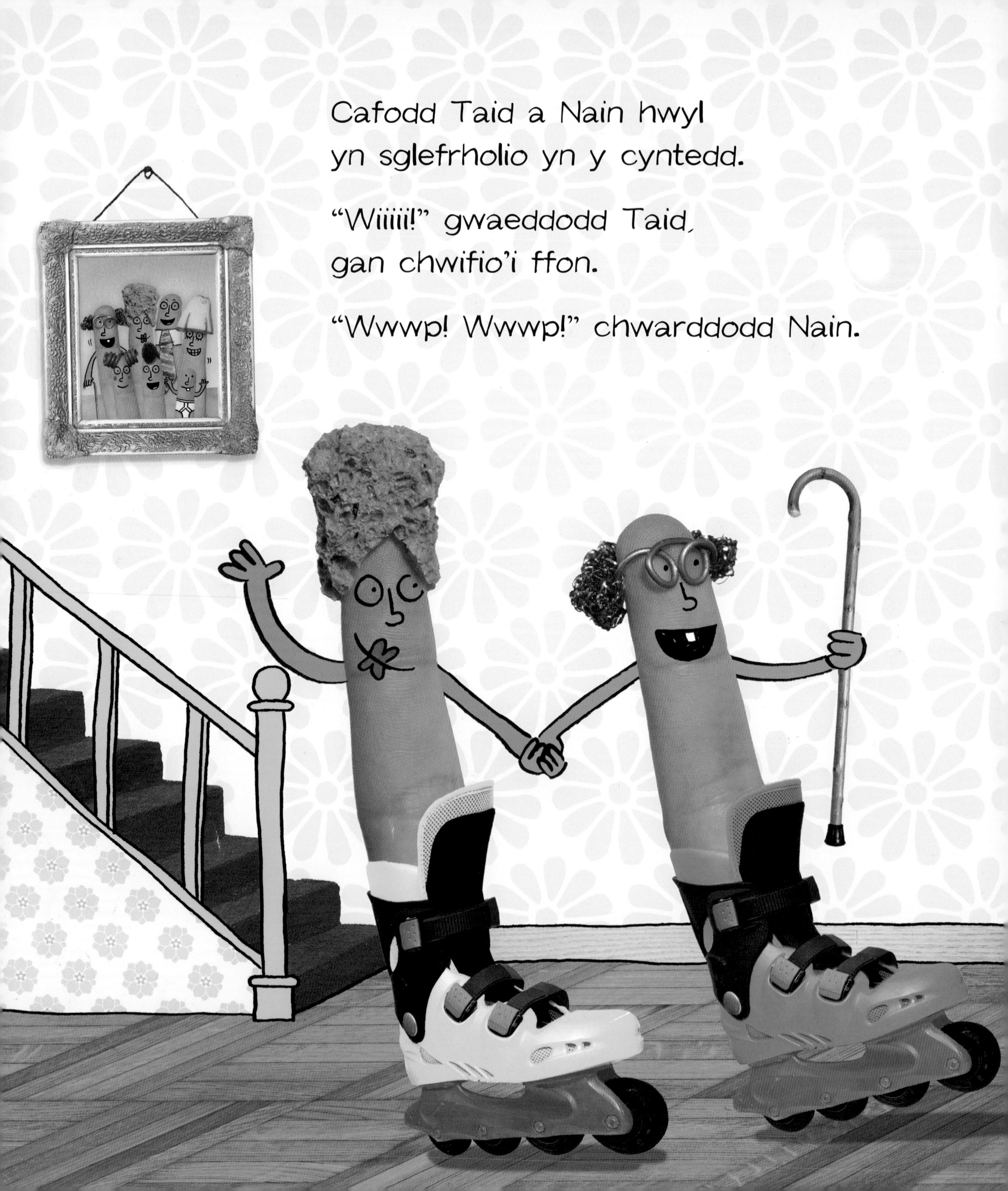

Cafodd Taid a Nain hwyl
yn sglefrholio yn y cyntedd.

"Wiiiii!" gwaeddodd Taid,
gan chwifio'i ffon.

"Wwwp! Wwwp!" chwarddodd Nain.

Cafodd Mic a Mag hwyl yn chwarae môr-ladron.

"Beth am hwylio ar fôr o swigod?" meddai Mag.

"I ffwrdd â ni ar draws y lli!" meddai Mic.

"Hi, hi! Weli di fi?"
chwarddodd Mog, y babi.
Roedd o'n cael hwyl wrth
smalio bod yn siarc peryglus.

Roedd sŵn chwerthin y Bysedd Bywiog i'w glywed yn glir y tu allan i'w tŷ bach lliwgar.
"Ha, ha!"
"We-hei!"
"Wiiiii!"
"Hi, hi!"
"Ho-ho-ho!"
"Wwwp! Wwwp!"
"Hwrê!"
Ond nid pawb oedd yn mwynhau'r sŵn . . .

Y drws nesaf roedd
y Bodiau Blin yn byw.

"Mae'r Bysedd Bywiog 'na'n cael hwyl eto," cwynodd Mrs Blin.

"Dwi ddim yn hoffi hwyl," cwynodd Mr Blin. "Rhaid i hyn ddod i BEN!"

Sleifiodd y Bodiau Blin at dŷ'r Bysedd Bywiog, gyda llond llaw bob un o gaws bodiau traed.

"Barod?" sibrydodd Mr Blin.

Anelodd y Bodiau . . .

SPLYCH! SBLAT! SBLOCH!

Taflodd y Bodiau'r caws drwy'r ffenest.

Ond pan welson nhw ei gilydd yn gaws i gyd, chwerthin wnaeth y Bysedd Bywiog.

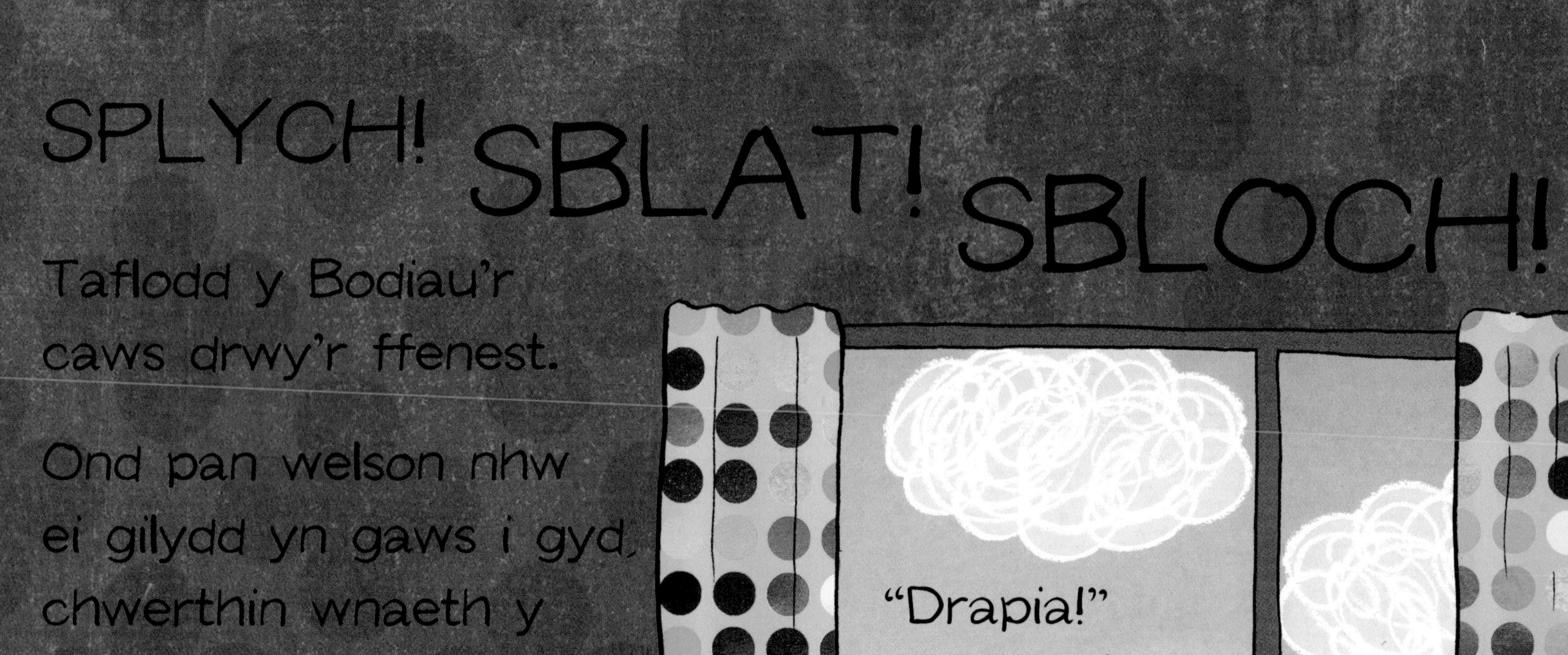

"Mae syniad arall gen i," meddai Mr Blin. Dringodd i ben y to a gwthio peipen ddŵr i lawr y corn simdde.

Trodd Mrs Blin y tap . . .

Dechreuodd tŷ'r Bysedd
Bywiog lenwi â dŵr.
Ond roedd hynny'n
goblyn o hwyl hefyd!
"Dwi'n nofio
fel môr-forwyn,"
meddai Mag.
"Deifio sgwba i mi!"
byrlymodd Dad.

Aeth y Bodiau Blin adref dan gwyno'n flin, a sbecian i mewn i gwt eu bwystfil troed, Bleddyn.

"Bleddyn, deffra, y bwystfil budr! Rhaid i ti fynd am dro at y Bysedd Bywiog."

Stompiodd Bleddyn y bwystfil troed i mewn i dŷ'r Bysedd Bywiog.

"GRRRRRRR!" chwyrnodd.

"AAAHHH!" gwaeddodd y Bysedd Bywiog.

"RHEDA!"
"Allan â ni!"
"Oh-o!"

Roedd hyd yn oed dianc rhag y bwystfil troed yn hwyl i'r Bysedd Bywiog. I ffwrdd â nhw yn eu car efo Bleddyn yn dynn ar eu sodlau.

"Traed arni, Dad!" gwaeddodd Mam.

Daethon nhw at lyn a neidio i mewn i gwch.

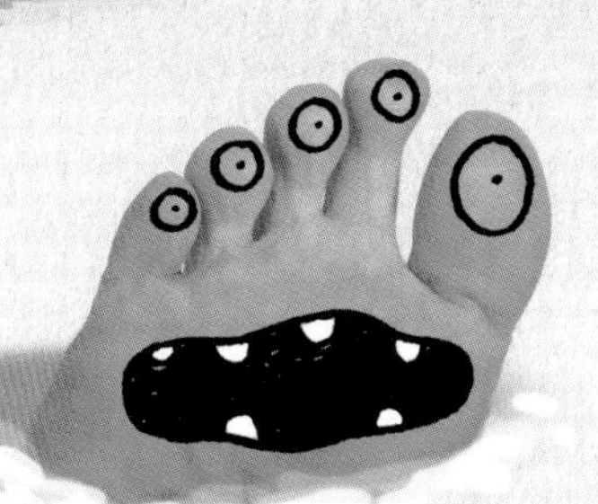

“Fuoch chi ’rioed yn morio-o-o-o!”
canodd pawb wrth rwyfo drwy’r dŵr.

Twt! Twt!
Aethon nhw ar drên . . .
Y BYS CHWIM
. . . ac ar
reid arswydus.
Ond roedd Bleddyn
yn dal i'w dilyn.

“Tydi dianc yn andros
o hwyl?” gwenodd Nain,
wrth i’r Bysedd Bywiog hedfan
mewn balŵn aer fawr, ymhell
o gyrraedd y bwystfil troed.

Neu felly roedden
nhw’n tybio . . .

"Mae o'n dal i'n dilyn!" gwaeddodd Dad.

Gafaelodd y Bysedd Bywiog yn dynn
wrth i'r gwynt eu chwythu'n ôl tuag adref.

"Ylwch, mi wela i'r Bodiau Blin yn eu gardd," meddai Mag.

Cafodd Taid syniad. "Beth am alw i'w gweld nhw? Parasiwtiau'n barod, bawb!" meddai gan blannu blaen ei ffon i mewn i'r falŵn . . .

bang!
Ffrwydrodd y falŵn.

Agorodd y Bysedd Bywiog
eu parasiwtiau a hedfan
yn esmwyth i lawr.

Ond doedd dim parasiwt
gan Bleddyn, a syrthiodd
yn blwmp ar ben . . .

. . . y Bodiau Blin!
Glaniodd y
Bysedd Bywiog
wrth ymyl Bleddyn.
"Amser cosi!"
gwaeddodd Nain.

Cosodd y bysedd Bleddyn
nes i hwnnw chwerthin hefyd!

Roedd y Bodiau Blin yn sownd
ac roedd PAWB yn chwerthin!

"NA!" crefodd y Bodiau.
"PEIDIWCH Â CHAEL HWYL!"

Ond dyna wnaethon nhw gan fod y
Bysedd Bywiog yn gwirioni ar gael hwyl.
“Ha, ha! Hi, hi! Ho, ho!”
“Iym!”
“Wiiii!”
“We-hei!”

"Hwrê!"
"Ho-ho-ho!"
"HI-hI!"
PERYGL

Y Bodiau Blin